Réalisation et arrangements : Lauri Prado, Alain Schneider
Enregistrement et mixage : Interface

Illustrations de :
Clémentine Collinet : p. 16-17, 28-29, 32-33, 40-41 ;
Marianne Dupuy-Sauze : p. 14-15, 42-43, 48-49 ; Catherine Ferrier : p. 36-37, 56-57 ;
Sophie Ledesma : p. 18-19, 34-35, 46-47, 50-51, 54-55 ;
Marie Quentrec : p. 8-9, 22-23, 24-25, 30-31, 52-53, 58-59 ;
Marie-José Sacré : couverture, pochette et CD, p. 10-11, 26-27, 38-39, 60-61 ;
Amélie Vidal : p. 12-13, 20-21, 44-45.

Comptines à chanter

volume 2

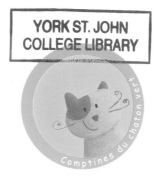

Illustrations de :
Clémentine Collinet, Marianne Dupuy-Sauze, Catherine Ferrier,
Sophie Ledesma, Marie Quentrec, Marie-José Sacré, Amélie Vidal

MILAN
jeunesse

Sommaire

Savez-vous planter les choux ?

Savez-vous planter les choux,
À la mode, à la mode,
Savez-vous planter les choux,
À la mode de chez nous ?

On les plante avec le doigt,
À la mode, à la mode,
On les plante avec le doigt,
À la mode de chez nous.

On les plante avec le coude…
(le pied, le genou,
le nez, la tête…).

8

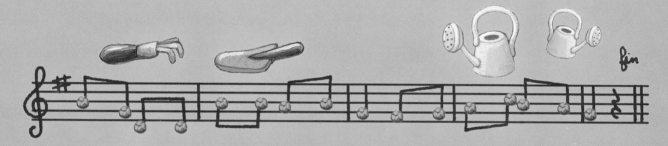

Sa - vez - vous plan - ter les choux, À la mo - de, à la

fin

mo - de, Sa - vez vous plan - ter les choux, À la mo - de de chez nous ?

9

Un poisson au fond d'un étang

Un poisson, au fond d'un étang,
Qui faisait des bulles,
Qui faisait des bulles,
Un poisson, au fond d'un étang,
Qui faisait des bulles
Pour passer le temps.

Chipchipchip bidibidibidi !
Chipchipchip bidibidibidi !

Un oiseau vint près de l'étang
Regarder les bulles,
Regarder les bulles,
Un oiseau vint près de l'étang
Regarder les bulles,
Que c'est amusant !

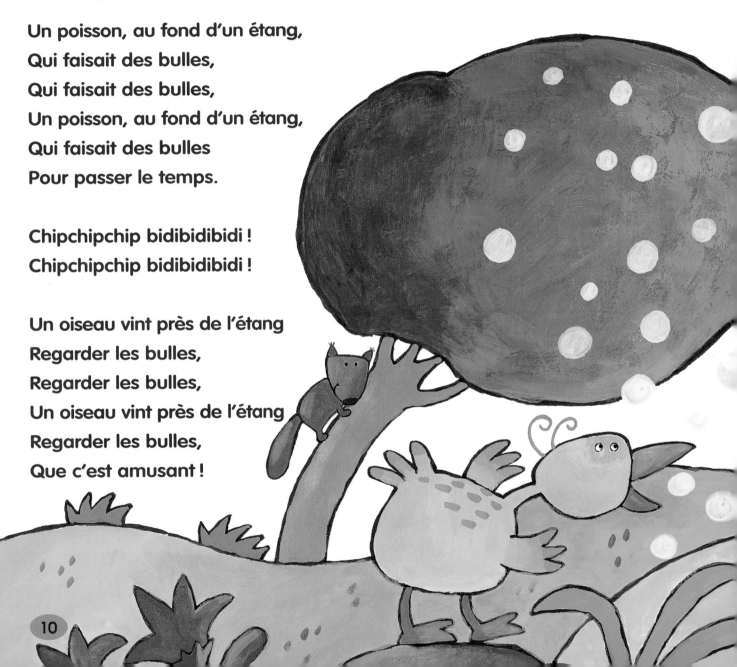

Un pois-son, au fond d'un é-tang, Qui fai-sait des bul-les, Qui fai-sait des bul-les,

Un pois-son, au fond d'un é-tang, Qui fai-sait des bul - les Pour pas - ser le temps.

Chip-chip-chip bi-di - bi - di - bi-di ! Chip-chip-chip bi-di - bi - di - bi-di !

Oh l'escargot !

Oh l'escargot, quelle drôle de petite bête,

C'est rigolo, ce qu'il a sur la tête.

Un chat (miaou) marchait (miaou)

Le long de la gouttière,

Le vent (foufou) soufflait (foufou)

Sur sa petite queue légère.

J'ai vu (t'as vu ?), j'ai vu (t'as vu ?)

Le p'tit trou d'son derrière.

J'ai vu (t'as vu ?), j'ai vu (t'as vu ?)

Le p'tit trou de son… OH !

Oh l'es - car - got, quell' drôl' - de pe - tit' bê - te, C'est ri - go - lo, ce

qu'il a sur la tê - te. Un chat (miaou) mar - chait (miaou) Le long de la gout - tiè - re, Le

vent (foufou) souf-flait (foufou) sur sa p'tit' queue lé - gè - re. J'ai vu (t'as vu ?), j'ai vu (t'as vu ?) Le

fin

p'tit trou d'son der - riè - re. J'ai vu (t'as vu ?), j'ai vu (t'as vu ?) Le p'tit trou de son... OH !

Dame Tartine

Il était une dame Tartine
Dans un beau palais de beurre frais.
La muraille était de praline,
Le parquet était de croquets.
La chambre à coucher
De crème de lait,
Le lit de biscuits,
Les rideaux d'anis.

Il é - tait une da - me Tar - ti - ne Dans un

beau pa - lais de beurr' frais. La mu - raille é - tait de pra-

li - ne, Le par - quet é - tait de cro - quets. La cham-bre à cou-

cher De crè - me de lait, Le lit de bis - cuits, Les ri-deaux d'a - nis.

Trotte, petit cheval

Trotte, petit cheval rouge,
Pour aller jusqu'à Toulouse,
Trotte, petit cheval gris,
Pour aller jusqu'à Paris.
Trotte, petit cheval jaune,
Pour aller à Carcassonne,
Trotte, petit cheval blanc,
Pour aller à Montauban.

PARIS

MONTAUBAN

CARCASSONNE

TOULOUSE

16

Trot - te, pe - tit che - val rouge,   Pour al - ler jus - qu'à Tou - lou - se,

Trot - te, pe - tit che - val gris,   Pour al - ler jus - qu'à Pa - ris.

Trot - te, pe - tit che - val jaune,   Pour al - ler   à Car - cas - son - ne,

Trot - te, pe - tit che - val blanc,   Pour al - ler   à Mon - tau - ban.

17

Bateau sur l'eau

Bateau, sur l'eau,
La rivière, la rivière,
Bateau, sur l'eau,
La rivière au bord de l'eau.
Le bateau a chaviré,
Tous les enfants sont tombés
Dans l'eau !

Ba - teau, sur l'eau, La ri - viè - re, la ri - viè - re, Ba - teau,

sur l'eau, La ri - viè - re au bord de l'eau. Le ba-teau a cha - vi - ré,

fin

Tous les en - fants sont tom - bés Dans l'eau!

Passe, passera

Passe, passe, passera,
La dernière, la dernière,
Passe, passe, passera,
La dernière restera.

Qu'est-ce qu'elle a donc fait
La p'tite hirondelle ?
Elle nous a volé
Trois p'tits grains de blé.
Nous l'attraperons,
La p'tite hirondelle,
Nous lui donnerons
Trois p'tits coups de bâton.

Pass', pass', pas - se - ra, La der - niè - re, la der - niè - re,

Pass', pass', pas - se - ra, La der - niè - re, res - te - ra. Qu'est-c'qu'elle

a donc fait La p'tit' hi - ron - dell' ? Ell' nous a vo -

lé trois p'tits grains de blé. Nous l'at - tra - pe - rons, La p'tit'

hi - ron - dell', Nous lui don - ne - rons trois p'tits coups d'bâ - ton.

C'est la baleine

C'est la baleine
Qui tourne, qui vire
Comme un joli petit navire.
Prenez garde à la baleine,
Elle va vous manger le doigt !
Miam !

22

C'est la ba-lein' Qui tourn', qui vi-re Com-me un jo-li pe - tit na - vi - re.

Pre-nez garde à la ba - lei - ne, El - le va vous man - ger le doigt! Miam!

fin

23

Dans la ferme à Mathurin

Dans la ferme à Mathurin, i a i a o.
Y a des centaines de moutons, i a i a o.
Y a des bê par-ci, y a des bê par-là,
Ici des bê, par-là des bê,
Partout des bê, bê, bê, bê, bê.

2. Canards… couac, couac, couac.
3. Vaches… meuh, meuh, meuh.
4. Abeilles… bzzzit, bzzzit, bzzzit.
5. Dans la ferme à Mathurin, i a i a o
Y a une tonne de dynamite, i a i a o.
Boum… Y a plus d'ferme à Mathurin, i a i a o.

24

Dans la ferm' à   Ma-thu-rin,   i a i a o.   Y a des cen-taines

de mou-tons,   i a i a o.   Y a des   bê par - ci, y a des

bê par-là,   I - ci des bê, par - là des bê, Par-tout des bê, bê, bê, bê, bê.

Dans la ferme à   Ma - thu - rin,   i a i a   o.

Il était un petit navire

Il était un petit navire
Il était un petit navire
Qui n'avait ja-ja-jamais navigué
Qui n'avait ja-ja-jamais navigué
Ohé ! Ohé !

Il partit pour un long voyage
Il partit pour un long voyage
Sur la mer Mé-Mé-Méditerranée
Sur la mer Mé-Mé-Méditerranée
Ohé ! Ohé !

Il é - tait un pe - tit na - vi - re Il é - tait un pe - tit na-

vi - re Qui n'a-vait ja - ja - ja - mais na - vi - qué Qui n'a-vait

ja - ja - ja - mais na - vi - qué O - hé! O - hé!

La chèvre

Il était une chèvr',
De fort tempérament,
Qui revenait d'Espagne
Et parlait l'allemand,
Ballottant d'la queue
Et grignotant des dents,
Et ballottant d'la queue,
Et grignotant des dents.

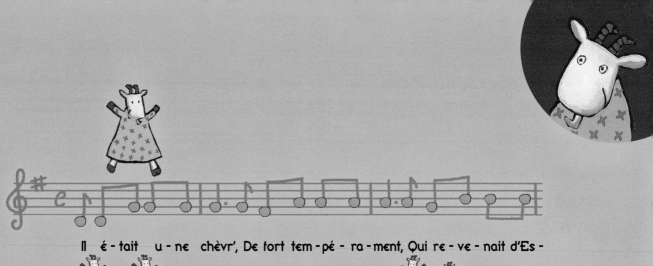

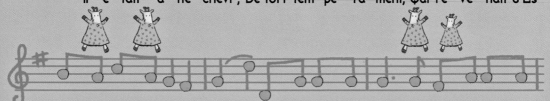

Il é - tait u - ne chèvr', De fort tem - pé - ra - ment, Qui re - ve - nait d'Es -

pagne Et par-lait l'al-le - mand, Bal-lot-tant d'la queue Et gri-gno-tant des

fin

dents, Et bal - lot- tant d'la queue, Et gri - gno - tant des dents.

Nous n'irons plus au bois

Nous n'irons plus au bois
Les lauriers sont coupés.
La belle que voilà
Ira les ramasser.

Entrez dans la danse,
Voyez comme on danse,
Sautez, dansez,
Embrassez qui vous voudrez !

Nous n'i - rons plus au bois Les lau - riers sont cou -

pés. La bel - le que voi - là I - ra les ra - mas-

ser. En-trez dans la dan - se, Voy-ez comme on dan - se, Sau-

tez, dan - sez, Em - bras - sez qui vous vou - drez!

fin

31

Un petit lapin

Un petit lapin
S'est sauvé dans le jardin.
Cherchez-moi, coucou ! coucou !
Je suis caché sous un chou.
Remuant son nez
Il se moque du fermier.
Cherchez-moi, coucou ! coucou !
Je suis caché sous un chou.
Tirant ses moustaches,
Le fermier passe et repasse,
Mais il ne voit rien du tout.
Le lapin mangea le chou.

Un pe - tit la - pin S'est sau - vé dans le jar -

din. Cher-chez - moi, cou-cou! cou-cou! Je suis ca-ché sous un chou.

Frère Jacques

Frère Jacques, frère Jacques,
Dormez-vous ? Dormez-vous ?
Sonnez les matines, sonnez les matines,
Din, ding, dong. Din, ding, dong.

Frè - re Jac - ques, frè - re Jac - ques,   Dormez-vous ?   Dormez-vous ?

Son-nez les ma - ti - nes, son-nez les ma - ti - nes, Din, dinq, donq. Din, dinq, donq.

Rock'n roll des gallinacés

Dans la basse-cour il y a
Des poules, des dindons, des oies,
Il y a même des canards
Qui barbotent dans la mare.

Refrain
Et ça fait cot ! cot ! cot ! codec !
Et ça fait cot ! cot ! cot ! codec !
Et ça fait cot ! cot ! cot ! codec !
Le rock'n roll des gallinacés.

Dans la basse-cour il y a
Des pigeons, des canetons,
Il y a même des dindons
Qui se cachent dans les buissons.

Refrain

Dans la bass'-cour il y a   Des poules, des din-dons, des oies,

Il y a mê-me des ca-nards   Qui bar-bo-tent dans la mare. Et ça fait

cot! cot! cot! co-dec!   Et ça fait   cot! cot! cot! co-dec!   Et ça fait

cot! cot! cot! co-dec!   Le   rock'n roll des gal-li-na-cés.

fin

Jean Petit qui danse

Jean Petit qui danse,
Jean Petit qui danse,
De son pied, il danse,
De son pied, il danse,
De son pied, pied, pied,
Ainsi danse Jean Petit.

Jean Petit qui danse,
Jean Petit qui danse,
De sa tête, il danse,
De sa tête, il danse,
De sa tête, tête, tête,
Ainsi danse Jean Petit.
Etc.

Jean Pe - tit qui dan - se, Jean Pe - tit qui dan ____ se, De son

pied, il dan - se, De son pied, il dan ____ se, De son

pied, pied, pied, Ain-si dan-se Jean Pe - tit.

39

Un canard

Un canard disait à sa barbe :
« Ris, barbe, ris, barbe. »
Un canard disait à sa barbe :
« Ris, barbe. » Et la barbarie !

Car la cane disait à sa tarte :
« Ris, tarte, ris, tarte. »
Car la cane disait à sa tarte :
« Ris, tarte. » Et la tartarie !

Le canard disait à sa cane :
« Ris, cane, ris, cane. »
Le canard disait à sa cane :
« Ris, cane. » Et la canari !

Un ca-nard di-sait à sa bar-be: «Ris, bar-be, ris, bar-be.» Un ca-

nard di-sait à sa bar-be: «Ris, barbe.» Et la bar-ba - rie!

Vent frais

Vent frais,
Vent du matin,
Vent qui souffle
Au sommet des grands pins,
Joie du vent qui souffle,
Allons dans le grand
Vent frais, vent du matin...

Vent frais, Vent du ma - tin, Vent qui souffle Au som-met des grands pins,

Joie du vent qui souffle, Al - lons dans le grand

fin

Il était une bergère

Il était une bergère
Et ron et ron, petit patapon,
Il était une bergère
Qui gardait ses moutons, ronron,
Qui gardait ses moutons.

Elle fit un fromage
Et ron et ron, petit patapon,
Elle fit un fromage
Du lait de ses moutons, ronron,
Du lait de ses moutons.

Le chat qui la regarde
Et ron et ron, petit patapon,
Le chat qui la regarde
D'un petit air fripon, ronron,
D'un petit air fripon.

Il é - tait un' ber - gè - re Et ron et ron, pe - tit pa - ta - pon, Il é - tait un' ber - gè - re qui gar - dait ses mou - tons, ron - ron, Qui gar - dait ses mou - tons.

fin

La bonne aventure ô gué

Je suis un petit poupon
De bonne figure
Qui aime bien les bonbons
Et les confitures.
Si vous voulez m'en donner,
Je saurai bien les manger.
La bonne aventure ô gué,
La bonne aventure.

TOMATE
JUS

46

Je suis   un pe - tit pou - pon   De bon - ne fi - qu ___ re
Qui ai - me bien les bon - bons Et les   con - fi - tu ___ res.

Si vous   vou-lez   m'en don - ner,   Je sau - rai bien   les man - qer.

La bon - ne a - ven - tu - re ô qué, La bon - ne a - ven - tu ___ re.

fin

47

Mon âne

Mon âne, mon âne
A bien mal à sa tête ;
Madame lui a fait faire
Un bonnet pour sa fête.
Un bonnet pour sa fête.
Et des souliers lilas, la la.
Et des souliers lilas.

Mon â - ne, mon â - ne, A bien mal à sa tête; Ma-

da - me lui a fait fai - re Un bon - net pour sa fête. Un bon-net pour sa

fête. Et des sou-liers li - las, la la. Et des sou - liers li - las.

fin

Pique la baleine

Pour retrouver ma douce amie,
Oh ! mes bouées !
Ouh ! là,
Ouh ! là là là !
Pique la baleine, joli baleinier,
Pique la baleine, je veux naviguer !

Pour   re - trou - ver ma   douce a - mie, Oh! mes   bouées! Ouh!

là,   Ouh! là   là   là!   Pi-que la ba - lei - ne,   jo - li ba - lei - nier,

Pi - que la ba - lei - ne, je veux   na - vi - quer!

fin

51

Petite poule grise

L'était une p'tite poule grise
Qu'allait pondre dans l'église.
Pondait un p'tit coco
Pour l'enfant s'il dort bientôt.

L'était une p'tite poule noire
Qu'allait pondre dans l'armoire.
Pondait un p'tit coco
Pour l'enfant s'il dort bientôt.

L'était une p'tite poule blanche
Qu'allait pondre dans la grange.
Pondait un p'tit coco
Pour l'enfant s'il dort bientôt.

L'était une p'tite poule rousse
Qu'allait pondre dans la grange.
Pondait un p'tit coco
Pour l'enfant s'il dort bientôt.

L'é - tait un' p'tit' poul' gris' Qu'a -llait pon -dre dans l'é-

gli — se. Pon -dait un p'tit co -co Pour l'en-fant s'il dort bien -tôt.

Il pleut, il pleut, bergère

Il pleut, il pleut, bergère,
Rentre tes blancs moutons.
Allons à la chaumière,
Bergère, vite allons.

J'entends sous le feuillage
L'eau qui coule à grand bruit.
Voici venir l'orage,
Voici l'éclair qui luit.

Il pleut, il pleut, ber - gè - re, Ren - tre tes blancs mou - tons.

Al - lons à la chau - miè - re, Ber - gè - re, vite al - lons.

J'en - tends sous le feuil - la - ge L'eau qui coule à grand bruit.

Voi - ci ve - nir l'o - ra - ge, Voi - ci l'é - clair qui luit.

fin

Un petit cochon

Un petit cochon
Pendu au plafond
Tirez-lui le nez
Il donn'ra du lait
Tirez-lui la queue
Il pondra des œufs.
Combien en voulez-vous ?

Un pe - tit co - chon   Pen - du au pla - fond   Ti - rez - lui le

nez   Il don - n'ra du   lait   Ti - rez - lui la   queue

Il pon - dra des   œufs.   Com - bien en vou - lez - vous ?

Les petits poissons

Les petits poissons
Dans l'eau
Nagent, nagent, nagent, nagent, nagent.
Les petits poissons
Dans l'eau
Nagent aussi bien que les gros.
Les gros, les petits,
Nagent bien aussi
Les petits, les gros,
Nagent comme il faut.

Les pe-tits pois-sons Dans l'eau Na-gent, na-gent, na-gent, na-gent, na-gent.

Les pe-tits pois-sons Dans l'eau Na-gent aus-si bien que les gros.

Les gros, les pe-tits, Na-gent bien aus-si Les pe-tits, les gros, Na-gent comme il faut.

Le trente et un du mois d'août

Le trente et un du mois d'août,
Nous vîm's venir sous l'vent à nous,
Une frégate d'Angleterre
Qui fendait l'air et puis les flots,
Voguant pour aller à Bordeaux.

Buvons un coup, buvons-en deux
À la santé des amoureux,
À la santé du roi de France
Et m… pour le roi d'Angleterr'
Qui nous a déclaré la guerre !

Le tren-te et un du mois d'a - oût, Nous vîm's ve - nir sous l'vent à

nous, U - ne fré - ga - te d'An - gle - ter - re Qui

ten - dait l'air et puis les flots, Vo-quant pour al - ler à Bor - deaux.